CREADO POR **JOSS WHEDON**

FRAY™ 02

GUIÓN **JOSS WHEDON**

DIBUJO **KARL MOLINE**

TINTA **ANDY OWENS**

COLOR **DAVE STEWART**
MICHELLE MADSEN

NORMA
Editorial

DISEÑO DEL LOGO **CHRIS GARDNER**
DISEÑO ORIGINAL **LANI SCHREIBSTEIN Y LIA RIBACCHI**
ASISTENTES DE EDICIÓN **MATT DRYER, MICHAEL CARRIGLITTO** Y **ADAM GALLARDO**
EDITOR DE LA EDICIÓN ORIGINAL **SCOTT ALLIE**
EDITOR **MIKE RICHARDSON**

**Muchas gracias a Michael Boretz, Kern Eccles,
Brett Matthews, George Snyder,
Diego Gutierrez y Herb Apon.**

Este volumen recopila Fray nº5 a 8 USA

FRAY 2. (Col. Made in Hell nº 56). Noviembre de 2007.
Publicación de NORMA Editorial, S.A. Pg. St. Joan 7, Pral. 08010 Barcelona.
Tel.: 93 303 68 20 – Fax: 93 303 68 31. E-mail: norma@normaeditorial.com.
FRAY: FUTURE SLAYER TM copyritght © 2003, 2007, Joss Whedon.
Dark Horse Comics ® and the Dark Horse logo are trademarks
of Dark Horse Comics, Inc., registered in various categories and countries.
All rights reserved. © 2007 NORMA Editorial S.A. por la edición en castellano.
ISBN:978-84-9847-120-5.
Traducción: Raul Sastre.
Rotulación: DRAC Studio. Printed in the EU.

www.NormaEditorial.com
www.DarkHorse.com

INTRODUCCIÓN DE JOSS WHEDON
LOS CÓMICS Y LAS CHICAS

No me interpretéis mal, lo cierto es que también había otras cosas en mi cabeza cuando era un adolescente. Pero casi seguro que en lo más alto de la lista de prioridades se encontraban las chicas y los cómics. Concretando aún más, las chicas en los cómics. Porque, para mi frustración, no había muchas. Al menos, en el universo Marvel, ese lugar donde yo solía refugiarme, había muy pocas chicas interesantes de las que un chaval de doce años pudiera enamorarse. Mi mejor amigo y yo solíamos pelearnos en nuestras patéticas (quería decir "ricas") vidas imaginarias por el afecto de cualquier chica que demostraba ser un poco interesante. Pero había poco donde elegir. Hasta que llegó Kitty Pride. Era un personaje con el que resultaba tan fácil identificarse y al que se le cogía cariño tan rápido, que incluso era capaz de perdonarle su falta de imaginación a la hora de escoger un buen nombre. Si ella podía estar en los X-Men, no había ningún impedimento para que un neoyorquino bajito, delgaducho y no demasiado aseado cuyo único poder mutante parecía ser la capacidad de lloriquear de una forma increíble no pudiera pertenecer también a ese grupo. (Y, probablemente ganarse su corazón, ya que Coloso no es que fuera muy listo).

Avancemos unos cuantos años, ya soy un adulto; aunque, de algún modo, sigo sin haber madurado lo más mínimo. La idea de Buffy Cazavampiros surgió de aquel mismo vacío que había sentido de crío. ¿Dónde están las chicas? ¿La chicas que saben pelear, que saben defenderse, que tienen sus propias opiniones y sus miedos y llevan unos uniformes que molan? Buffy fue diseñada para llenar ese vacío en el cine; y luego, al final, en la televisión. Entonces fue cuando todo esto de las Cazadoras comenzó a despegar. El público respondió, la serie continuó, la mitología de las Cazadoras se fue volviendo más y más compleja y, lo más importante de todo, surgió la oportunidad de hacer unos cómics. Ya que encontraba cansadísimo de tanto crear, decidí que, por encima de todo, debía cumplir ese sueño que tenía desde la infancia de escribir un libro. No creí que a nadie le interesara un libro escrito por mí a menos que tuviera algo que ver con Buffy, y ya estaba demasiado ocupado escribiendo Buffy como para ponerme a pensar en escribir sobre Buffy. (Me ha salido una frase interesante). Pensé en Faith; pero dicho personaje había vuelto a aparecer en Angel, y la continuidad se habría resentido. ¿Cómo evitar problemas con la continuidad? Contando una historia situada en un futuro lo bastante lejano como para que no interfiriera (o no pudiera interferir) con ella. Creando una nueva Cazadora, y un nuevo mundo para que ella viviera en él.

No tenía grandes ambiciones. Mi idea no era reinventar, o predecir, el futuro. Mi intención no era retar a los dioses (Moore, Ellis, Ennis y demás) en cuestiones de narrativa. (Mis visiones acerca del futuro son siempre bastante normalitas: los ricos son más ricos, los pobres

más pobres y hay coches voladores). Quería que todo fuera sencillo y tuviera los elementos de siempre: Una Cazadora, una familia, mucha intensidad. Un historia sencilla sobre una chica que mola mucho. Una chica que puede que tenga algunos puntos en común tanto con Buffy como con Faith, pero que tiene su propia idiosincrasia. Tenía en mis manos una mitología con la que ya me sentía cómodo, así que le que iba a dar unas cuentas vueltas de tuerca. Entre las que se incluían los coches voladores anteriormente mencionados. Le di vueltas al tema durante unas semanas y así nació Melaka Fray.

O fue concebida. Lo cierto es que no nació realmente hasta que conocí a Karl Moline. El primer boceto que Karl hizo jamás (que debería estar entre los extras incluidos al final de este tomo) me convenció de que él era el hombre que iba a crear la imagen de mi heroína. Sólo había puesto una condición a Dark Horse: nada de chicas ligeritas de ropa. Nada de gigantescas tetas de silicona, ni de chicas con el culo en pompa mientras posan en esas extrañas e incómodas posturas propias del porno blando que tanto gustan a algunos dibujantes. Nada de esos uniformes que, por casualidad y constantemente, revelan un trozo de tanga. Quería una chica de verdad, que se moviera con normalidad, con una figura no muy llamativa (ésa es mi forma educada de decir con "pocas tetas"), y sobre todo, con un rostro propio. O sea, una persona. Si ya habéis visto a Fray, os habréis percatado de que Karl dio justo en el clavo. No sólo con ella, sino

con todo ese mundo en su totalidad. Es justo la clase de dibujante con el que soñaba trabajar: consigue mezclar la espontaneidad exagerada y llamativa de los grandes cómics antiguos con un naturalismo y una sutileza en las expresiones que forma parte de las últimas tendencias. Cada pose y actitud de Melaka es de verdad, como la vida misma. Es dura, está a la defensiva, es vulnerable, tontorrona y, sí, también terriblemente sexy. Si la observas detenidamente, podrás ver cómo va madurando número a número. Gracias sobre todo a Karl (y a Andy, cuyo entintado siempre saca lo mejor de cada viñeta, y también a Dave, el maestro del color a la hora de mezclar lo real con lo surrealista), he logrado que una heroína que mola ocupe las estanterías de las librerías, algo que puede que no sea muy original en el campo de la novela gráfica de hoy en día, pero que es el tipo de personaje al que he estado esperando conocer una buena parte de mi vida.

Y aquí me tenéis, totalmente agradecido a Dark Horse, y a Scott Allie en particular, por su apoyo, paciencia (¿seré capaz de recalcar eso con bastante fuerza?) y confianza en este proyecto que suponía mi primera aventura en este ámbito. A Kai, por leerlo conmigo, y hacerme sentir como que sabía lo que estaba haciendo. A Karl, por... bueno, echad un vistazo. A todos los que han participado en este cómic; aquí os incluyo a vosotros, si os queréis subir a bordo. Y, en último lugar, a Chris Boal, ese gran amigo con el malgasté tanto tiempo en mi juventud, viviendo en ese mundo fantástico que son los cómics. Al fin he creado uno. Jo, y qué divertido ha sido.

Esta obra se la dedico a mi hijo, Arden, que es mucho más maravilloso que esta obra, y al que, para mi vergüenza, he de reconocer que engendrarlo me llevó mucho menos tiempo que acabar este cómic. Es tuyo para que lo leas algún día, Arden. Intenta no derramar nada encima.

Joss Whedon
Los Ángeles
Mayo de 2003

...Y ENTONCES EL HUSMEADOR QUE TENÍA UNA MARCA EN LA CABEZA SE PUSO A GOLPEARLA Y MEL ESTABA A PUNTO DE DEVOLVERLE EL GOLPE CUANDO **¡ZAS!** ESE SEÑOR FEO Y MONSTRUOSO LE SACUDIÓ AL HUSMEADOR Y MEL SE LEVANTÓ Y EL HUSMEADOR SE FUE ASUSTADO.

...ESO NO ES LO QUE YO HE OÍDO.

BUENO, ¿QUIÉN DE LOS DOS ESTUVO AHÍ? TÚ ESTABAS EN LA CAMA Y YO NO. YO CUENTO LO QUE HE VISTO, ADEMÁS, YO LOGRÉ QUE EL SEÑOR MONSTRUO LA AYUDARA.

MI MADRE DICE QUE LOS HUSMEADORES SON GENTE DE LA QUE DIOS SE HARTÓ.

QUÉ DICES. ES UNA ENFERMEDAD CONTAGIOSA. LA COGES MONTÁNDOTELO CON GENTE. LUEGO TE ENTRAN GANAS DE BEBER SANGRE Y TODO ESO.

ERES UN **CASO.** LOS HUSMEADORES EXISTEN GRACIAS A DIOS. Y ESE MONSTRUO LO MÁS PROBABLE ES QUE AYUDARA A MEL PARA PODER ASÍ COMÉRSELA EL MISMO.

¿¿QUÉ DICES?!

LOS HUSMEADORES ACABARÁN COMIÉNDOTE, YA VERÁS.

¡JA, JA, QUÉ GRACIOSO ERES! ¡NINGÚN HUSMEADOR ME VA A TOCAR JAMÁS PORQUE MEL ES MI AMIGA Y LOS MACHACARÍA! ¡MACHACA-CHACA-CHACA!

SÍ, LOS HUSMEADORES NO...

LOS HUSMEADORES... NO...

CHAPTER FIVE THE WORST OF IT

CAPÍTULO CINCO
LO PEOR DE TODO

ESTO NO PUEDE SER.

...PORQUE TE VOY A DECIR LA VERDAD, MEL...

...TE HE ECHADO MUCHO DE MENOS.

"MORIR DUELE."

"ME DESGARRÓ LA GARGANTA CON AQUELLOS DIENTES DE ANIMAL QUE ARAÑARON EL *HUESO* POR LA IMPACIENCIA CON LA QUE QUERÍA CHUPAR MI SANGRE."

"YO SÓLO QUERÍA QUE PARASE."

"Y ASÍ FUE. DE REPENTE, TODO SE DESVANECIÓ. Y EN ESE MOMENTO SUPE QUE ME MORÍA."

"Y, CON MUCHA CLARIDAD, SUPE QUÉ TENÍA QUE HACER."

Y LA MATABA.

NUNCA DISE NADA ACERCA DE ESOS... SUEÑOS, YA QUE HABRÍAS CREÍDO QUE ESTABA CHALADO.

YO MISMO LO CREÍA TAMBIÉN.

MIS SUEÑOS...

...ESTABAN EN MI MENTE. SIEMPRE DISE QUE ÉRAMOS COMO UNA PERSONA PARTIDA EN DOS.

PERO HARTH, NO ERES... NO PUEDES SER UNO DE ELLOS... NO TIENES...

...¿EL MISMO ASPECTO?

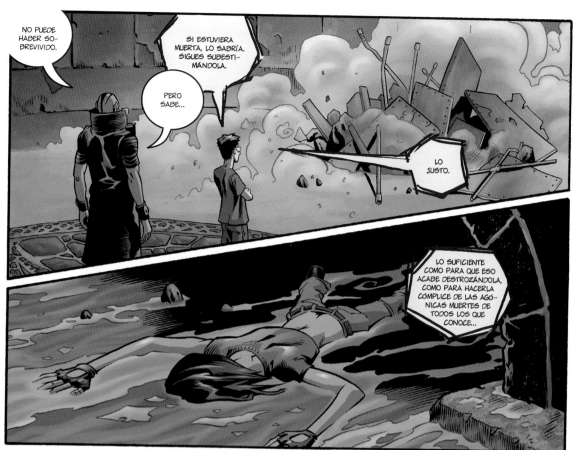

ESTÁ VIVO.

NO ESTÁ VIVO, NO LO ENTIENDES.

SUPONGO QUE NO. BUENO, ASÍ QUE ESTÁ INFECTADO Y ES UN HUSMEADOR... PERO TIENE QUE HABER UNA CURA PARA ESO, ¿NO?

¿HAS OÍDO HABLAR DE ALGUNA?

ME NIEGO A ACEPTAR QUE SEA UN... UN CASCARÓN VACÍO POSEÍDO POR UN... ¿CÓMO ES ESA PALABRA QUE SOLÍA SALIR EN LOS VIEJOS HORRORÓSCOPOS O COMO SE LLA-MEN?

POR UN VAMPIRO. SERÁ MEJOR QUE ME CREAS.

PORQUE ERES LA CAZA-DORA.

MÁS O MENOS. BUENO, NO LO SÉ.

HARTH, NO... NO CREO QUE ESTUVIERA PREVISTO QUE UNA CAZADORA PUDIERA TENER UN MELLIZO, ÉL SE HA QUEDADO CON... LOS RECUERDOS Y EL LEGADO...

YO SÓLO CON LA FUERZA.

MEL, ME ESTÁS PIDIENDO QUE ME CREA LO QUE ME ESTÁS CON-TANDO CUANDO NI SI-QUIERA ERES CAPAZ DE EXPLICARLO DE FORMA COHE-RENTE.

SOY POLI. ESTO YA SERÍA DIFÍCIL PARA MÍ INCLUSO SI NO FUERAS...

...INCLU-SO SI NO TUVIÉRAMOS NUESTRAS RENCILLAS.

TÚ ERES POLI Y YO UNA LADRONA. JODER, ANOCHE INTENTASTE ARRESTARME.

HABRÍA SIDO UN GRAN DÍA PARA TI, ¿VERDAD? AUNQUE SÓLO FUERA POR PODER DETE-NERME DE UNA PUÑETERA VEZ Y QUITARTE DE ENCIMA ESE INCORDIO QUE SUPONE TU PROPIA HERMANA.

MEL...

DESDE EL DÍA EN QUE HARTH MURIÓ LO ÚNICO QUE HAS HECHO HA SIDO MENOSPRECIARME, ¿Y SABES QUÉ? ¡A LO MEJOR TENÍAS RAZÓN!

FUE CULPA MÍA.

¿PERO ACASO CREES QUE VENDRÍA AQUÍ A CONTARTE TODAS ESTAS HISTORIAS SOBRE MONSTRUOS Y QUE SOY LA ELEGIDA, SI NO ESTUVIERA SEGURA DE ESTO, AL MENOS? ¿SI NO SUPIERA QUE ALGO HORRIBLE SE NOS VIENE ENCIMA?

HARTH... QUIERE HACERME DAÑO. Y NO SÓLO ESO. HA DICHO QUE TODOS A LOS QUE QUIERO VAN A MORIR GRITANDO DE DOLOR.

ENTONCES SUPONGO QUE YO ESTOY A SALVO.

ME VOY. ¿VAS A INTENTAR DETENERME?

NO, NO LO VOY A HACER.

23

¿CÓMO HAN PODIDO...? SI NI SIQUIERA SE HAN ALIMENTADO.

ME LO ADVIRTIÓ.

ME DIJO QUE ERA INCAPAZ DE PROTEGER A NADIE.

TENÍA RAZÓN.

NI SIQUIERA SOY UNA CAZADORA DE VERDAD. LO ÚNICO QUE SÉ HACER ES LUCHAR.

ASÍ QUE HA LLEGADO EL MOMENTO DE LUCHAR...

...DE HACERLES SABER QUE SE ENFRENTAN A MÍ.

URKONN...

"LA GUERRA NO ES SÓLO LA MUERTE."

"ES LA ANTÍTESIS DE LA VIDA."

"LA ESPERANZA ACABA SIENDO TORTURADA Y FLAGELADA. LA RAZÓN TERMINA DESMEMBRADA, Y SONRÍE MIENTRAS EN SU REGAZO REPOSAN SUS MIEMBROS MUTILADOS."

"LA DECEN-CIA ACABA SIENDO VIO-LADA..."

"...HASTA QUE MUERE, SERÁS UNA ASESINA."

"Y MUCHO MÁS."

"SERÁS UN LÍDER."

"LA CAZADORA SUELE LUCHAR CASI SIEMPRE SOLA, PERO EN TIEMPOS EN LOS QUE SE AVECINAN GRANDES BATALLAS, ES LA ELEGIDA PARA LIDERAR EL COMBATE; ESO TE RESULTARÁ MUY DIFÍCIL, INCLUSO MÁS DIFÍCIL QUE MATAR."

"APENAS ESTÁS INTEGRADA EN ESTA COMUNIDAD, POR NO HABLAR DE QUE NO ERES UNA FIGURA RESPETADA PRECISAMENTE."

"LA GENTE NO TE ESCUCHARÁ."

"PERO CONSEGUIRÁS QUE TE ACABEN ESCUCHANDO."

"TENGO UN REGALO PARA TI."

"SE TRATA DE UN ARMA FORJADA HACE EONES, UN ARMA QUE SÓLO LA CAZADORA PUEDE EMPUÑAR, UN ARMA QUE HA ESTADO PERDIDA DURANTE SIGLOS."

"LLÉVALA, PORQUE ES TU ESPADA Y TU CETRO. DEJA QUE ELLA TE PROCLAME COMO LA HEROÍNA... Y EL MONSTRUO... QUE DEBERÁS SER."

"LIBRA TU GUERRA."

SE HA COMETIDO UN ASESINATO.

SE HA COMETIDO UN ASESINATO, Y SE VAN A COMETER MÁS. TODOS VOSOTROS OS ENCONTRÁIS EN PELIGRO.

¿QUIÉN NOS AMENAZA?

LOS HUSMEA-DORES.

¿LOS HUSMEA-DORES? ¡PERO SI SON UNA BROMA! ¡MERAS RATAS DE CLOACA!

YA, ¿CUÁNDO HA SIDO LA ÚLTIMA VEZ QUE TE HAS ACERCADO A LAS ALCANTARI-LLAS?

A CADA AÑO QUE PASA, PARECE QUE HAY MÁS...

¿Y QUÉ? SÓLO SON UNA PANDA DE YONQUIS SEDIEN-TOS DE SANGRE. ¿QUÉ NOS VAN A HACER?

NO SON SÓLO ESO. ESTÁN OR-GANIZADOS Y VAN A VENIR A POR NOSOTROS.

¿CUÁNDO VAN A VENIR A POR NO-SOTROS?

¿QUÉ SE SUPONE QUE HEMOS DE..?

¿CÓMO LO SABES?

...TE DIERON UNA PALIZA AYER POR LA NOCHE. ¿NO SERÁ QUE BUSCAS VEN-GARTE?

¿LA POLICÍA VA A...?

33

¿PODEMOS HACERLO? ¿PODEMOS DESPERTAR A LA BESTIA, ABRIR EL PORTAL?

TIENE TODO LO QUE NECESITA: LOS TALISMANES, LOS ENCANTAMIENTOS... Y LA VOLUNTAD QUE SE REQUIERE.

TIENE UNA VOLUNTAD TAN FUERTE...

¡ES SÓLO UN VAMPIRO! LA FORMA DE MESTIZAJE MÁS ABYECTA, NO ES UN DEMONIO PURO. UN VAMPIRO...

...QUE ES, AL MISMO TIEMPO, EL MELLIZO DE UNA CAZADORA. TIENE SU CLARIVIDENCIA, SUS CONOCIMIENTOS...

SIGUE SIENDO UN VAMPIRO.

¡CON PODER! CON UN PODER CAPAZ DE ABRIR UN PORTAL QUE LLEVARÁ A LOS MUNDOS DE LOS HUMANOS Y LOS DEMONIOS A ENFRENTARSE UNA VEZ MÁS, MASA DE CARNE SIN CEREBRO. ESO NO DEBE OCURRIR.

NO HASTA QUE ESTEMOS PREPARADOS.

¿PUEDE LA CHICA...?

NO SE SABE. LA FUERZA DE ÉL ES LA DEBILIDAD DE ELLA. EXTRAE ESE PODER DE LA MUCHACHA.

ASÍ QUE ESA CHICA ES UN RECEPTÁCULO INCOMPLETO. ¿NO DEBERÍAMOS ENVIAR UN GRUPO DE DEMONIOS A...?

NO.

EL PORTAL YA HA SIDO TRASPASADO DOS VECES. NO DEBEMOS ARRIESGARNOS...

...LA MUCHACHA TENDRÁ QUE HACERLO...

...CAZAR.

¡AAHH!

¡VAYA! ¿LO HAS VISTO? HAN... SE HAN... ¡SE HAN DESVANECIDO!

SEÑORITA...

URKONN ME DIJO QUE ESTO PASARÍA, PERO... PUAJ, ¡AHORA MISMO A LO MEJOR LOS ESTAMOS RESPIRANDO!

PERO ESO ESTÁ BIEN, HAN SIDO DOS PÁJAROS DE UN TIRO. ES LA LECHE, INCLUSO URKONN SE VA A QUEDAR IMPRESIONADO...

¡SEÑORITA!

...CAZAR.

¡AAHH!

¡VAYA! ¿LO HAS VISTO? HAN... SE HAN... ¡SE HAN DESVANECIDO!

SEÑORITA...

URKONN ME DIJO QUE ESTO PASARÍA, PERO... PUAJ, ¡AHORA MISMO A LO MEJOR LOS ESTAMOS RESPIRANDO!

PERO ESO ESTÁ BIEN, HAN SIDO DOS PÁJAROS DE UN TIRO. ES LA LECHE, INCLUSO URKONN SE VA A QUEDAR IMPRESIONADO...

¡SEÑORITA!

LOS HUSMEADORES SE DESPLAZAN EN MANADAS.

URKONN PUEDE QUE LO HAYA MENCIONADO ALGUNA VEZ.

YO SÓLO SOY UNA CHICA QUE VIVE SOLA Y SE ENCUENTRA INDEFENSA...

RARRRRR!

...PERO QUE TIENE EL PERRO GUARDIÁN MÁS GENIAL QUE HAY EN EL MUNDO.

41

¡SÓLO UNOS CUAN-
TOS MÁAAAAAASSS!

NO HE ESTADO...
ESTOY TRAGANDO
AGUA, NO PUEDO...

URKONN...
SOCORRO...

ME SIENTO GENIAL.

COMO SI ESTUVIERA EMPEZANDO.

¿QUE HA HECHO QUÉ?

VUELTO
LOCA.

ÍCARO. TENEMOS UN ARCHIVO SOBRE ESTE TIPO, PERO NO UN HISTORIAL DELICTIVO.

ESTAMOS RECIBIENDO INFORMES DE QUE SE ENCUENTRA EN LA PARTE OESTE MATANDO HUSMEADORES. UN CONFIDENTE NOS LO HA DESCRITO COMO "UNA CARNICERÍA". NO HAY CADÁVERES, PERO SÍ LA ARRESTAMOS CON LAS MANOS EN LA MASA...

ME DIJO QUE ÉL ES... QUIEN...

HA QUEDADO CLARO QUE NO LA AYUDARON A FUGARSE PARA ECHARLE UN CABLE.

GUNTHER JURA QUE ÉL NO NOS TENDIÓ UNA TRAMPA, PERO QUIÉN SABE. ESTÁN LLENANDO UNA CELDA CON AGUA PARA PODER ENCERRARLE, PERO NO SÉ SI NI SIQUIERA LLEGARÁ A VER SU INTERIOR, TIENE A MUCHOS JUECES EN NÓMINA.

DIJO QUE EL TAL ÍCARO HABÍA VUELTO, QUE... FORMA PARTE DE UN PLAN.

ESO DEBIÓ CONTÁRTELO CUANDO SE DEJÓ CAER POR TU CASA. CUANDO TE OLVIDASTE DE QUE TENÍAS QUE ARRESTARLA.

NO SABEMOS CÓMO MATARLOS. SE NOS ECHARON ENCIMA, PERDIMOS A DOS HOMBRES Y ELLOS SE FUERON COMO SI NADA, SIN NINGUNA BAJA. ¿POR QUÉ A LOS MANDOS LES DA IGUAL QUE NO SEPAMOS CÓMO MATARLOS?

POR DIOS, ERIN, ¿QUIERES QUE TE QUITEN LA PLACA? HAS OCULTADO Y DADO COBIJO A TU HERMANA, ¿Y AHORA ENCIMA TE VAS A DEJAR ENREDAR EN ESA TEORÍA DE LA CONSPIRACIÓN? ¡TODO ESTO SE HA SALIDO DE MADRE!

LOS HUSMEADORES SON UNA PANDA DE DESGRACIADOS QUE ESTÁN ENFERMOS, Y MIENTRAS SE QUEDEN EN SUS MADRIGUERAS A LOS MANDOS LES IMPORTAN UN BLEDO. ME DA IGUAL LO QUE HAYA ENTRE ELLOS Y TU HERMANA, SÓLO SÉ QUE ES ALGO DELICTIVO Y PELIGROSO.

ENTRA EN RAZÓN, ERIN. TE HA CONTADO UNA SERIE DE HISTORIAS DISPARATADAS. ANALÍZALAS. ¿QUÉ HAY AHÍ DETRÁS REALMENTE? ¿QUÉ **CONCLUSIÓN** SACAS PENSANDO DE FORMA RACIONAL?

QUE SE HA VUELTO LOCA.

LA HA ENCONTRADO.

DE ALGUNA FORMA, HA DADO CON SU ESENCIA, CON SU FUERZA. ESPERABA QUE SE DERRUMBARA, LA VERDAD.

SE HA VUELTO LOCA. SUPONGO QUE LA HEMOS LLEVADO MUY AL LÍMITE.

SÍ.

ME PREGUNTO CUÁL HABRÁ SIDO LA CAUSA.

AMO, DÉJEME ENMENDARME. DÉJEME ACABAR CON ESTA AMENAZA.

¿INSINÚAS QUE DEBERÍA DEJAR DE JUGAR CON ELLA?

YO NUNCA ME...

TIENES BASTANTE RAZÓN. HABÍA SOÑADO CON PODER CONTEMPLAR SU ROSTRO CUANDO EL PORTAL SE ABRIERA, PERO... NO VA A PODER SER. VE A POR ELLA.

TENGO TRABAJO POR DELANTE.

ÍCARO.

QUIERO EL CADÁVER.

46

CHAPTER
SEVEN

THE GATEWAY

CAPÍTULO SIETE
EL PORTAL

UN TIEMPO DE DICHA ESTÁ POR LLEGAR.

UN TIEMPO DE RENACI-MIENTO...

Y DE FINALES TERRIBLES.

DESPERTAD.

URKONN. RETÍRATE.

ES MÍO.

¿DE VERDAD CREES QUE **ME** PUEDES DERROTAR, MUCHACHA? ¿QUÉ TIENES APARTE DE UN HACHA NUEVA Y BRILLANTE?

FE.

KLANK

ESTO ES POR MI HERMANO, CAPULLO.

¿ESTÁS BIEN?

ESTOY BIEN. SIMPLEMENTE... VI A ESE *TIPO*, ME DI CUENTA DE QUE ERA *ÉL* Y SE ME FUE LA OLLA.

SÍ, TE HAS SALTADO EL CÓDIGO DE CIRCULACIÓN A LO BESTIA.

ESPERO NO HABER ESTROPEADO TU GRAN MOMENTO.

NO, ESTOY BASTANTE SEGURA DE QUE ESTABA A PUNTO DE LOGRAR QUE ME *MATARA*.

ADEMÁS... HA SIDO GRACIOSO.

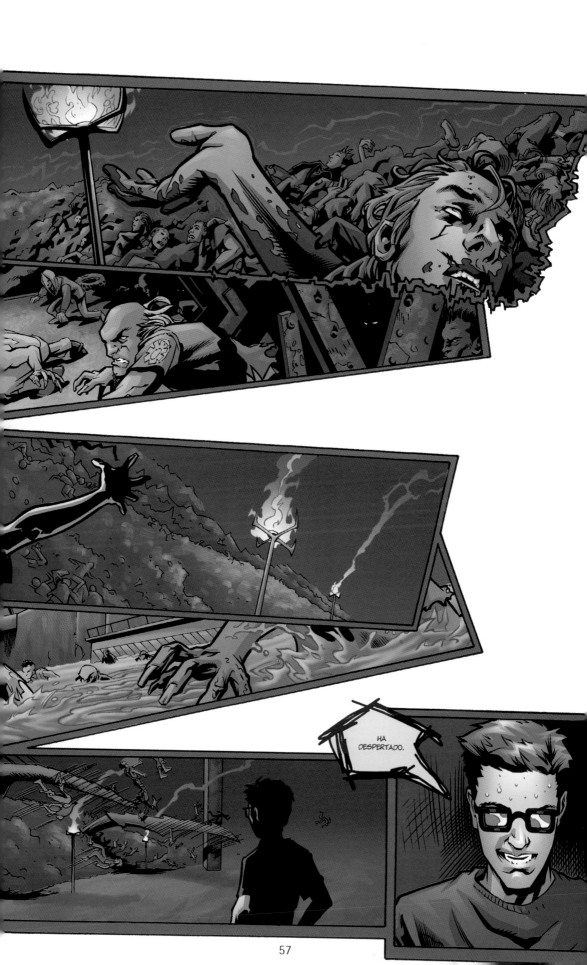

HA DESPERTADO.

¿ÉSTOS SON TODOS?

BUENO, SON MÁS DE LO QUE ESPERABA.

OTROS SE UNIRÁN A NOSOTROS. HEMOS HECHO CORRER LA VOZ.

¡AMMA! ¡JOVE!

SENTIMOS HABER TARDADO TANTO, MEL.

TENÍAMOS QUE PREPARARNOS PARA LA OCASIÓN.

ME SIENTO TAN MAL POR HABERTE PEGADO ANTES...

AMMA...

SÉ QUE SIEMPRE CUIDASTE DE LOO.

EXPLÍCAME OTRA VEZ ESO DE QUE ERES UNA GRAN *SUPERHEROÍNA*.

PORQUE CADA VEZ QUE LO DICES, ME PARTO DE RISA.

KETTIE RAWLS. Y YO CREYENDO QUE YA ESTARÍAS DE CAMINO A WESTAM.

¿Y PERDERME ASÍ UNA BUENA PELEA? ¿Y, TAL VEZ, LA OPORTUNIDAD DE VER CÓMO TE MATAN? NI DE COÑA.

ENCANTADA DE CONTAR CONTIGO, GORDO BABOSO.

ESTO VA A SER UNA MASACRE.

PERO TENEMOS QUE HACERLO. TENEMOS EL DEBER DE HACER LO QUE HAY QUE HACER.

AUNQUE, A DECIR VERDAD, TODO ESTO DEL DEBER ME DA UN POCO IGUAL.

ADEMÁS, FORMA PARTE DE LA TRADICIÓN.

AUNQUE PROBABLEMENTE NO LO VAS A ENTENDER, SI ALLÍ EN *VILLA TERROR* O DE DONDEQUIERA QUE VENGAS NO TENÉIS PELÍCULAS DE VAQUEROS, HARTH Y YO NOS PASÁBAMOS EL DÍA VIENDO ESE TIPO DE PELIS. EN ELLAS SIEMPRE SE DAN LOS MISMOS ELEMENTOS.

UNO DE ELLOS ES *EL DUELO FINAL*.

SÍ, YO TAMBIÉN SOLÍA VERLAS. A MÍ LO QUE MÁS ME GUSTABA ERA CUANDO...

...LOS BUENOS LLAMABAN A LA CABALLERÍA.

¡NO ME LO PUEDO CREER!

POR LO VISTO, MUCHOS DE LOS NUESTROS YA ESTÁN *BASTANTE* HARTOS DE LOS HUSMEADORES. Y LES IMPORTA UNA MIERDA LO QUE DIGAN LOS MANDOS.

NO ME LO PUEDO CREER.

CRÉETELO.

YO ALEGRÁNDOME DE VER A LA BOFIA. ESTO ES EL FIN DEL *MUNDO*, NO HAY DUDA.

RAWLS, HAZ CORRER LA VOZ, QUE LA GENTE SEPA QUE TENEMOS REFUERZOS Y QUE ES HORA DE MOVER EL CULO.

EL BUENO
SABERLO.

...YO ESTOY
AL MANDO.

AQUÉLLOS
QUE NO VAYAN A
LUCHAR DEBERÍAN
QUEDARSE EN SUS
CASAS.

LOS
HUSMEADO-
RES NO PUEDEN
ENTRAR EN UNA
CASA SI NO SON INVI-
TADOS.

ERIN, RECUERDA...
SOLTARLES UNAS CUENTAS
DESCARGAS SÓLO LOS
RALENTIZARÁ, PERO NO LOS
MATARÁ A MENOS QUE ARDAN
Y ESTE LUGAR SE CONVIERTA
EN UNA HOGUERA. ATURDIDLOS,
Y QUE LAS SIERRAS, CUCHI-
LLAS Y ESTACAS ACABEN
EL TRABAJO.

SEGURO
QUE TE MORÍAS
DE GANAS DE
DECIRLO...

¡YA
VIENEN!

AH, UNA
COSA MÁS,
ERIN...

61

ESTAMOS PERDIENDO.

SON MÁS QUE NOSOTROS, SON MÁS FUERTES... LA ÚNICA FORMA DE DETENERLOS...

...ES DANDO NUESTRAS VIDAS ENTRE ESTAS LLAMAS.

PERO LA VERDADERA PUTADA ESTÁ POR LLEGAR: JUSTO CUANDO EMPIEZO A PENSAR QUE PODEMOS PERDER ESTA GUERRA...

...DESCUBRO QUE NI SIQUIERA HA EMPEZADO.

NO...
DIOS, NO...

EL PORTAL...

¡MELAKA! ¡SU ÚTERO ES EL PORTAL!

¡DARÁ A LUZ A MILES DE DEMONIOS! ¡ES LA PUERTA QUE CRUZARÁN PARA LLEGAR A NUESTRO MUNDO!

¡HAY QUE ACABAR CON ELLA!

¡MEU!

AL HABLA BRODER, AVISO A TODAS LAS UNIDADES, UN **MONSTRUO** HA APARECIDO EN NATSCAN... ¡NOS QUEDAN UNOS **DIEZ MINUTOS** ANTES DE QUE TODO EL BARRIO SE CONVIERTA EN UNA **INMENSA BOLA DE FUEGO**!

¿ERIN?

ERIN, ¿QUÉ TE OCURRE?

YA BASTA.

NO, NO BASTA.

HNNNNH!

¿ERIN?

¿ERIN?

MELAKA...

MELAHHHKA, POR FAVOR, SÉ SSSENSATA.

TIENES MUCHAS PREGUNTAS QUE RESPONDER, GUNTHER. TÚ SABÍAS PARA QUIÉN ESTABA ROBANDO.

¡AL PRINCIPIO NO! **NO NO NO**, ERAN SÓLO HUSMEADORES, ERA DESAGRADABLE TENER QUE TRATAR CON ELLOS, PERO LOS NEGOCIOS SON LOS NEGOCIOS.

CUANDO DESCUBRÍ PARA **QUIÉN** TRABAJABAN, Y POR QUÉ HABÍAN PEDIDO QUE **TÚ** HICIERAS ESOS ROBOS... ¡INTENTÉ ADVERTIRTE!

TIENE GRACIA QUE NO ME **ACUERDE** DE ESO.

BUENO, NO PODÍA DECIR NADA, POR SSSUPUESTO...

POR ESO TE PAGUÉ TAN GENEROSSSAAAMENTE, PARA QUE SUPIERAS QUE ALGO IBA **MAL**.

ME ENTREGASTE A LA **BOFIA**.

¡PARA MANTENERTE A SSSSALVO!

TENÍAS A TU HERMANO Y TU HERMANA PISÁNDOTE LOS TALONES... SOIS UNA FAMILIA UN TANTO CONFLICTIVA, LA VERDAD. ASÍ QUE PENSÉ QUE ELLA ERA LA OPCIÓN MÁS SEGURA, ¿NO? CON TODO LO QUE ME HE PREOCUPADO POR TI, QUE AHORA ME LO PAGUES CON AMENAZAS...

NO ESTAMOS HABLANDO DE **ESO**, GUNTHER.

HABLAMOS DE **LOO**.

LO SSSSSIENTOOOO, PRINCESSSSSS, NO SABÍA QUE TÚ...

ESA NIÑA ERA AMIGA MÍA. LA *MATARON*.

ALGUIEN VA A TENER QUE *PAGAR* POR ELLO.

YO NO... YO NUNCA... MELAHHHKA, SABES QUE YO NO MATÉ A ESA NIÑA...

LO SÉ.

FUISTE TÚ.

LOS VAMPIROS NO PUEDEN *ENTRAR* EN UNA CASA A MENOS QUE SE LES INVITE. Y YO *NO* LES INVITÉ.

ADEMÁS, NO LE *CHUPARON* LA SANGRE.

SUPONGO QUE ESTABAS *NERVIOSO*, LA COSA NO PINTABA NADA BIEN. TUS ASQUEROSOS AMOS TE ENVIARON PARA QUE ME OBLIGARAS A ENTRAR EN BATALLA, PERO TÚ ESTABAS CONVENCIDO DE QUE NO IBA A LUCHAR. CREÍSTE OPORTUNO DARME UN *EMPUJONCITO*.

ASÍ QUE LE *PARTISTE* EL CUELLO A UNA NIÑA DE CINCO AÑOS PORQUE, EH, ERES UN DEMONIO, ¿NO? ¡QUÉ IMPORTANCIA TIENE UNA VIDA HUMANA, SI TENEMOS UNA *GUERRA* A PUNTO DE ESTALLAR!

¿TENGO *RAZÓN*?

HABRÍAMOS PERDIDO.

NO ES UNA BUENA EXCUSA.

TAMBIÉN HE DEDUCIDO *OTRA* COSA.

LAS VECES QUE TUVE QUE SALIR DEL *RÍO*, NUNCA ME AYUDASTE, NUNCA ME DISTE LA MANO.

NO SEGUISTE A ÍCARO CUANDO SE *SUMERGIÓ* EN EL AGUA... NI SIQUIERA TE METISTE EN LAS *ALCANTARILLAS* PARA BUSCAR EL ESCONDITE DE HARTH.

ERES UN DEMONIO *PODEROSO*, LO SÉ. UN GRAN GUERRERO. PODRÍAS PARTIRME EN DOS SI TE LO *ORDENARAN*. PODRÍAS DESTROZAR A CUALQUIER SER HUMANO.

PERO CREO QUE NO SABES NADAR.

FUE UN BUEN MAESTRO.

INCLUSO UN BUEN AMIGO.

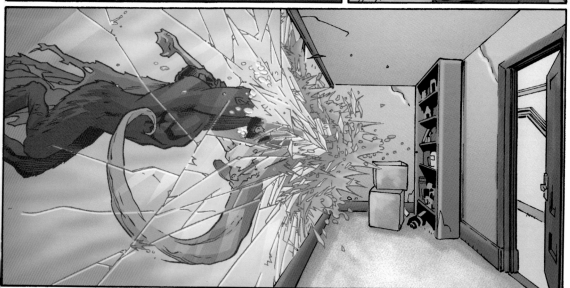

AUHHHHWHHHH...

LO SIENTO, JEFE.

PENSÉ QUE EN ESTE SITIO TENDRÍA MÁS POSIBILIDADES DE DERROTARLO.

SPLOWN!

DEBERÍA... ORDENAR... QUE TE HICIERAN PICADILLO...

VAMOS, SIGO SIENDO TU MEJOR LADRONA...

HAS DESSSSSTRUIDO MI... HASS TRAÍDO ESSSA COSA A...

JEFE, SABES QUE ME NECESITAS...

MAMÍFERA DE MIERDA. TE ODIO.

A VECES, CUANDO NOS ENFADAMOS DECIMOS COSAS QUE...

"VIVE."

HA GANADO, HA CERRADO EL PORTAL, PERO SIGUE VIVA.

AL IGUAL QUE SU HERMANO. ESO SUPONE UN PELIGRO PARA NOSOTROS.

URKONN CAERÁ EN EL OLVIDO. SU NOMBRE SERÁ BORRADO DE LAS PÁGINAS DE LOS LIBROS QUE NARRAN LAS ANDANZAS DE NUESTROS GUERREROS, POR HABER FRACASADO A LA HORA DE ACABAR CON ELLA.

COMO ES HABITUAL, TE FIJAS EN LO MENOS IMPORTANTE, MASA DE GRASA.

LA CHICA ES LA QUE IMPORTA, TENEMOS QUE VIGILARLA.

"DURANTE UN TIEMPO ESTARÁ OCUPADA..."

"...REHACIENDO SU VIDA."

"PUEDE QUE INCLUSO SIGA CON SU ANTIGUA VIDA."

"PERO HA ENCONTRADO UNA NUEVA."

"Y MIENTRAS HAGA CASO A LA LLAMADA..."

...ME ESTARÁN OBSERVANDO.

LOS DEMONIOS, *HARTH*... Y OTRAS COSAS DE LAS QUE AÚN NO SÉ NADA. ESTARÁN *ESPERANDO*...

...ESPERANDO A QUE CAIGA.

VAMOS, TÍOS.

SÓLO SOY *UNA CHICA*. NO SOY NI UNA GRAN HEROÍNA, NI UNA DEFENSORA DE LA JUSTICIA, NI SIQUIERA UNA *CAZADORA* DE PURA CEPA.

ASÍ QUE, ¿A QUÉ ESTÁIS ESPERANDO?

ENFRENTAOS A MÍ.

HACED DAÑO A MI MUNDO.

·MOLINE· ·OWENS·
·STEWART·

PORTADA
ORIGINAL
DE FRAY
Nº5 USA

MOLINE
OWENS
STEWART

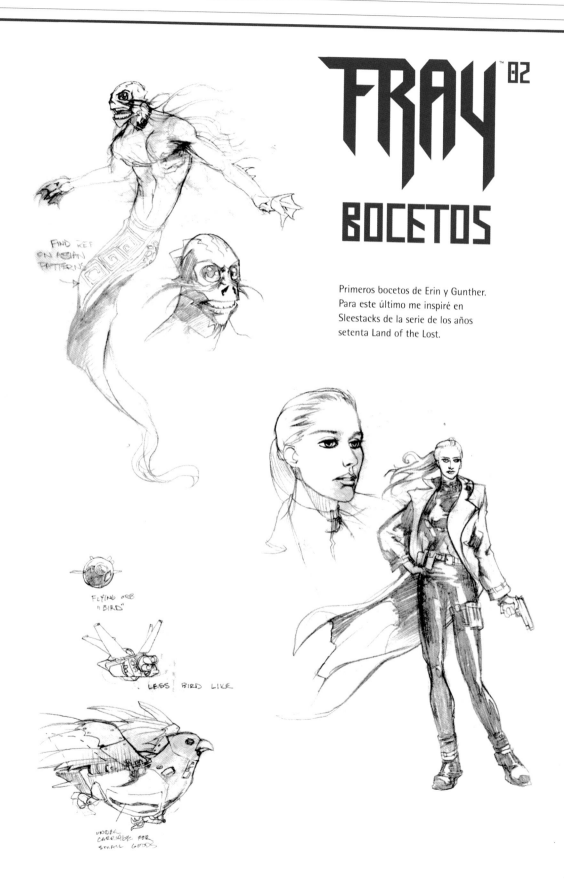

FRAY™ 02

BOCETOS

Primeros bocetos de Erin y Gunther.
Para este último me inspiré en
Sleestacks de la serie de los años
setenta Land of the Lost.

FIND REF
ON ASIAN
PATTERNS

FLYING ORB
"BIRD"

LESS BIRD LIKE

UNDER
CARRIAGE FOR
SMALL GOODS

Bocetos de Don, Cally
y el diablillo.

Primeros bocetos de Ícaro.

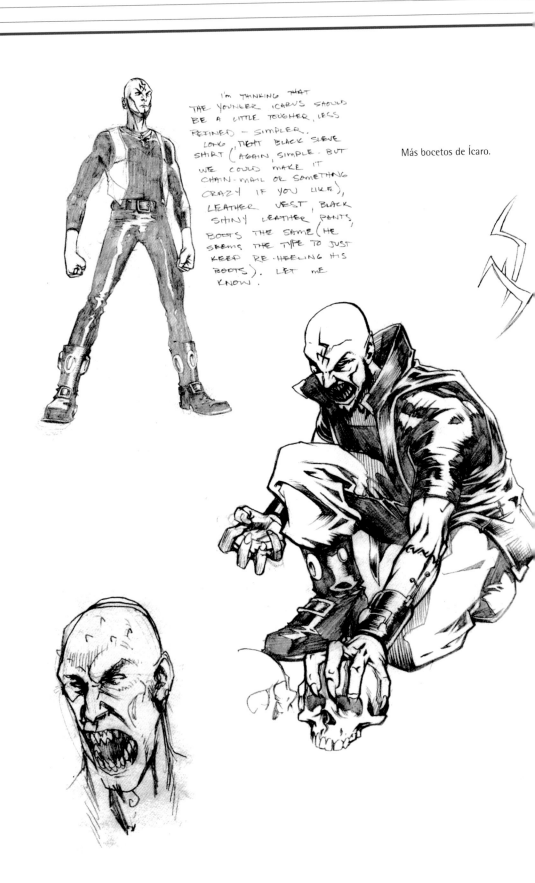

I'm THINKING THAT
THE YOUNGER ICARUS SHOULD
BE A LITTLE TOUGHER, LESS
REFINED — SIMPLER.
LONG, TIGHT BLACK SLEEVE
SHIRT (AGAIN, SIMPLE. BUT
WE COULD MAKE IT
CHAIN-MAIL OR SOMETHING
CRAZY IF YOU LIKE),
LEATHER VEST, BLACK
SHINY LEATHER PANTS,
BOOTS THE SAME (HE
SEEMS THE TYPE TO JUST
KEEP RE-HEELING HIS
BOOTS). LET ME
KNOW.

Más bocetos de Ícaro.

Un par de portadas para el número 1 que no se utilizaron.

Gracias al dibujo de la siguiente página al fin dieron luz verde a mi participación como dibujante en la serie. Está entintado por Andy y coloreado por Dave. También es la primera aparición del hacha. Abajo, mi primer dibujo completo de Fray.

Bocetos de la última página de la historia.

CREADORES

JOSS WHEDON vive en Los Ángeles con su mujer, su hijo y rodeado de muebles. Sus series de televisión Buffy Cazavampiros, Ángel y Firefly han procurado diversión a miles de personas en todo el mundo. Éste es su primer cómic (¡perdón! ¡Novela gráfica!). Y tiene intención de escribir más.

KARL MOLINE fue al Maryland Institute, College of Art durante dos años y medio antes de dar el salto al mundo del cómic de la mano de Dark Horse. Antes de su etapa en Fray, Karl ya había colaborado en 2099: WORLD OF TOMORROW de Marvel Comics, VAMPIRELLA STRIKES y GROUND ZERO: WIDOW'S PROGENY. En la actualidad reside en la soleada Dunedin, Florida, y es el dibujante de la serie de CROSSGEN ROUTE 666.

ANDY OWENS empezó a dar sus primeros pasos en el mundo del cómic a mediados de los años noventa. En los últimos siete años ha trabajado para las editoriales más importantes, colaborando en títulos como BATMAN, BUFFY CAZAVAMPIROS, X-MEN y LOBEZNO. Tras vivir una temporada en el sur de California, volvió a su ciudad natal, Spokane, en Washington, donde sigue viviendo en la actualidad. A día de hoy, es el entintador de SUPERMAN y NIGHTWING de DC Comics, y espera ansioso poder colaborar en una posible secuela de FRAY.

DAVE STEWART comenzó su carrera en Dark Horse trabajando en la sección de diseño de la editorial. Cinco años después dio el salto y se convirtió en colorista freelance. Algunos de los proyectos en los que está inmerso son: HELLBOY, ULTIMATE-X-MEN, ULTIMATE SIX, CAPITÁN AMÉRICA, CONAN, TRINITY, TOM STRONG, SUPERMAN, BATMAN y llevar a su mujer de vacaciones (lo más pronto posible). No hace falta decir que este hombre nunca duerme.

MICHELLE MADSEN se licenció en Bellas Artes en el Pacific Northwest College of Art. Trabajó haciendo separaciones de color en Dark Horse antes de pasar a ser colorista y rotulista freelance. Michelle en estos momentos se encuentra trabajando en series como LONE, KISS, FUSED y diversas historias cortas y números únicos.